Cyw Cors

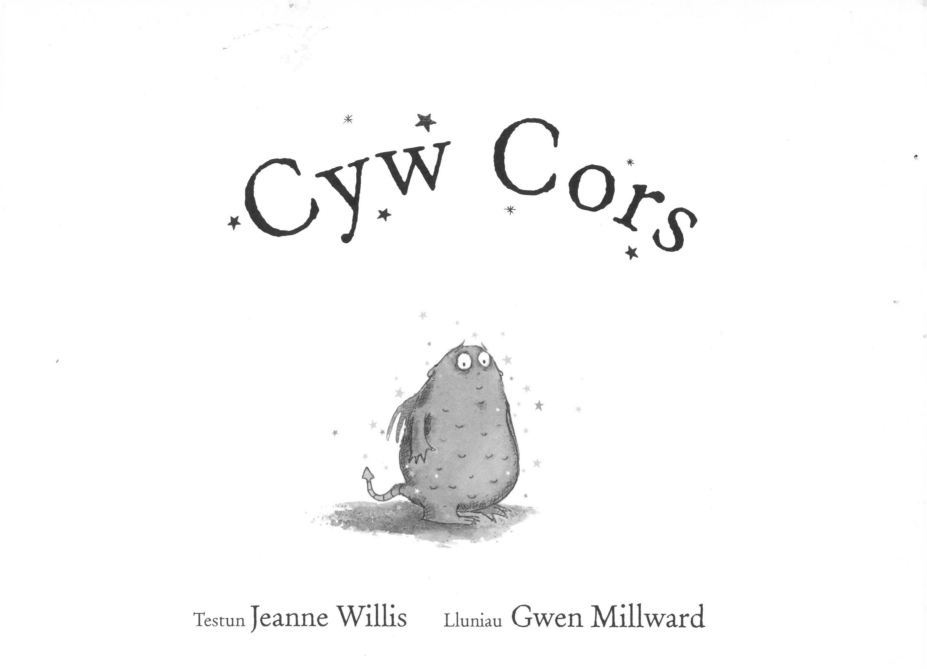

Testun **Jeanne Willis**   Lluniau **Gwen Millward**

Cymde  ion Gyf

I fy mam, xxx - J.W.
I Mam a Dad, gyda chariad - G.M.

Cyhoeddwyd gan Gymdeithas Lyfrau Ceredigion Gyf.,
Blwch Post 21, Yr Hen Gwfaint, Ffordd Llanbadarn,
Aberystwyth, Ceredigion SY23 1EY.
Argraffiad Cymraeg cyntaf: Mawrth 2008
Hawlfraint Cymraeg: Cymdeithas Lyfrau Ceredigion Gyf. © 2008
www.clcgyf.org
Addasiad: Dylan Williams
Cedwir pob hawl.

ISBN 978-1-84512-067-2

Cyhoeddwyd gyntaf ym Mhrydain yn 2008 gan The Penguin Group,
Penguin Books Ltd, Registered Office: 80 Strand, London WC2R 0RL, Lloegr.
Teitl gwreiddiol: *The Bog Baby*
Hawlfraint y testun © 2008 Jeanne Willis
Hawlfraint y lluniau © 2008 Gwen Millward
Y mae hawl Jeanne Willis a Gwen Millward i'w cydnabod fel awdur a darlunydd
y gwaith hwn wedi'i nodi ganddynt yn unol â
Deddf Hawlfraint, Dyluniadau a Phatentau, 1988.
Argraffwyd yn China.

Ers talwm, pan oedden ni'n fach, fe wnaeth Casi a fi rywbeth drwg.
Fe ddywedson ni ein bod yn mynd i dŷ Ann i chwarae, ond wnaethon ni ddim.

Fe aethon ni i bysgota. Ar ein pennau ein hunain.
A doedden ni ddim i fod i wneud hynny.
Dywedodd Casi fod pwll hud i'w gael yn y Gelli.

Dim ond yn y gwanwyn y byddai yno.
Pan fyddai'n bwrw glaw, byddai'n gwneud pwll enfawr yn y glyn
a byddai creaduriaid yn byw ynddo. Fe allen ni bysgota, meddai hi.
Ddyweda i ddim os na wnei di. Felly i ffwrdd â ni.

Fe ddaethon ni
o hyd i'r pwll. Roedd yn
slwtshlyd rownd ei ymyl.
Gwichiai'r blodau dan ein traed.

Er pysgota
   a physgota,
      ddalion ni 'run fadfallen.

Ond fe ddalion ni rywbeth llawer gwell.

Fe ddalion ni Gyw Cors.

Maint llyffant oedd o, ond ei fod o'n grwn ac yn las. Roedd ganddo lygaid mawr a chynffon bigog, ac mae cof gen i fod ganddo glustiau fel rhai llygoden.

Daeth gan bendilio rhwng coesau'r blodau a neidio i mewn i'r pwll.

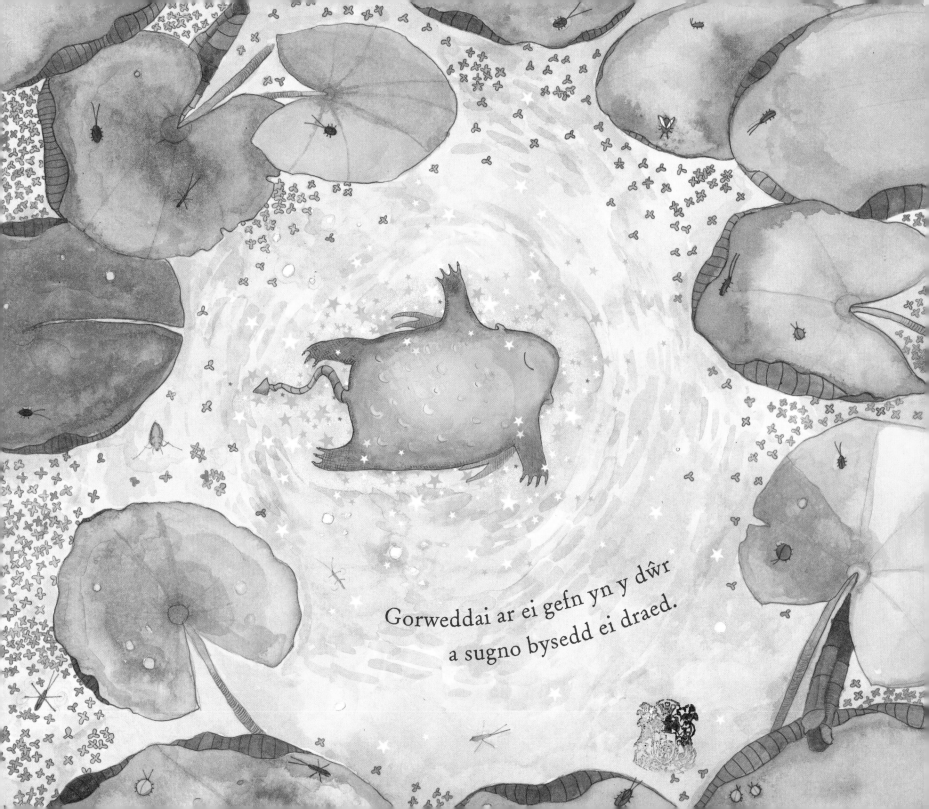

Gorweddai ar ei gefn yn y dŵr
a sugno bysedd ei draed.

A dyna pryd y tynnais i o allan.

Stranciodd o ddim.

Eisteddodd yn fy llaw
gan edrych yn syn.

Roedd o mor feddal â jeli.

Fel pe na bai ganddo
asgwrn yn ei gorff.

Wrth i ni ei fwytho, curai ei adenydd.
Doedden nhw ddim mwy na dail meillion.
Edrychent yn llawer rhy fach i'w godi i'r awyr.

Awgrymodd Casi y gallai hedfan
petaen ni'n *chwythu* ar ei adenydd.

Ond er *chwythu* a *chwythu,* y cwbl wnaethon ni oedd ei yrru i'r mwd.
Cheisiodd o ddim dianc. Dim ond eistedd yn llonydd a'i bawennau dros ei lygaid.

Mi roeson ni o mewn jar, mynd ag o adref a'i guddio yn y sied.

Ein Cyw Cors ni oedd o.
Doedd o ddim i fod yn gyfrinach
ond petaen ni wedi sôn wrth Mam, byddai'n
gwybod nad i dŷ Ann yr aethon ni.

Mi wnaethon ni gartref hyfryd
i'r Cyw Cors mewn bwced.

Graean.

Cregyn.

Dŵr glân.

Bob tro y gwelai o ni,
neidiai i fyny ac i lawr.
Mi fydden ni'n ei godi
ac yn chwarae ag o.

Roedd arno oglais mawr,
a byddem yn ei fwydo
â briwsion cacen.

Roedden ni'n **caru**
ein Cyw Cors.

Roedd ein cyfeillion yn ei garu hefyd.

Byddem yn ei sleifio i'r ysgol mewn twb marjarîn.

Pan na fyddai'r athro'n edrych, câi chwarae yn y cafn tywod a'r pwll dŵr.

Yn y prynhawn, cysgai yn ei dwb ar ddarn llaith o wlân cotwm.

Gwnaeth Casi goler a thennyn iddo fel y gallen ni
fynd ag o am dro yn y cae. Un tro, bu bron i frân ei fwyta,
ond fe yrron ni hi i ffwrdd mewn pryd.

Mi gymeron ni ofal mawr o'n Cyw Cors.
O leiaf mi geision ni. Ond fe aeth yn sâl.

Doedd o ddim yn neidio i fyny ac i lawr mwyach.
Collodd ei liw, ac aeth ei adenydd yn llipa.

Doedd arno ddim awydd ei friwsion cacen.
Mi roeson ni rai o bob math iddo,
ond eu poeri nhw allan a wnâi bob tro.

Roedd arnon ni eisiau gofyn i Mam am help, ond doedd fiw inni.
Oherwydd Ann.

Teneuodd y Cyw Cors.
Gwrthodai fynd am dro.
Cuddiai o dan ei gragen.

Ddeuai o ddim allan waeth pa faint bynnag yr oedden ni'n ei garu.

Daeth Mam o hyd i ni yn y sied.

Gwrthododd Casi ddweud pam roedden ni'n crio.
Er inni addo peidio â dweud, mi ddywedais i.
Ond doedd Mam ddim yn flin.

Pan welodd hi pwy oedd yn y bwced, fe wenodd ac aeth ei llygaid yn llaith.
Dywedodd nad oedd wedi gweld Cyw Cors ers pan oedd hi'n fach.

Plîs gwna fo'n well, medden ni.
Rydyn ni'n ei **garu cymaint**.

Mi wn, meddai Mam.
Ond creadur gwyllt ydi'r Cyw Cors.
Nid yma mae ei le o.
Fwriadwyd o erioed i fwyta cacen.
Nac i gerdded ar dennyn.
Nac i gysgu mewn twb.

Cododd Mam y bwced
ac fe ddilynon ni hi
allan o'r sied.

Os oedden ni'n caru'r
Cyw Cors go-iawn, roedd yn
rhaid inni wneud yr hyn oedd
orau iddo fo, heb hidio am ein
teimladau ni.

Dyna oedd **cariad go-iawn**.
Dyna pam y gadawson ni iddo fynd.

Yn ôl i'w gynefin.

I fyw yn y coed.

I chwarae yn y pwll.

I gysgu yn y dail llaith o dan y lleuad.

*W*elson ni mohono byth wedyn.
Dwi'n meddwl ei fod wedi tyfu ac wedi cael babanod ei hun.

Y gwanwyn diwethaf daeth fy merch i o hyd
i'r pwll hud, a wyddoch chi beth welodd hi . . .

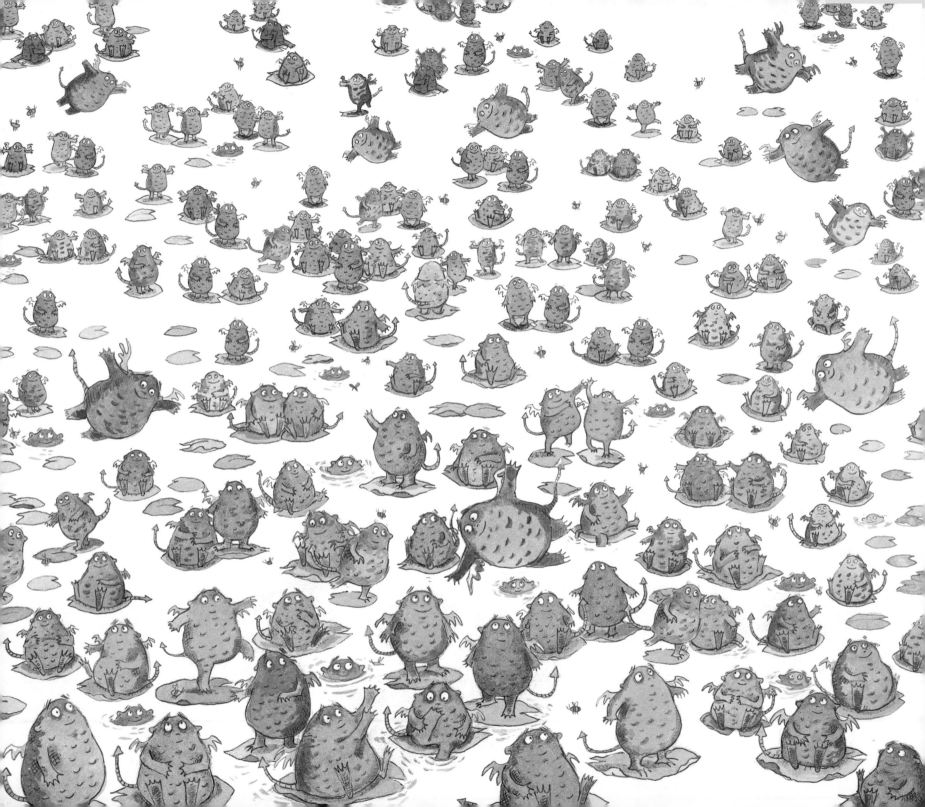

Cannoedd o Gywion Cors yn pendilio rhwng y blodau.

Yn dal pryfed.

Yn nofio ar eu cefnau.

Yn sugno bodiau eu traed.

Dyna ddywedodd hi wrtha i.
A dyna rydw i'n ei gredu.

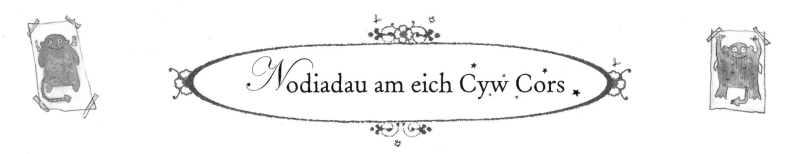

Nodiadau am eich Cyw Cors

Pan ddowch chi o hyd i Gyw Cors eich hun sgrifennwch amdano fan hyn.

Ble daethoch chi o hyd iddo? . . . .

Beth yw ei hoff fwyd? . . . .

Faint o fysedd traed sydd ganddo? . . . .

Pa un yw ei hoff flodyn? . . . .

Ydi o'n crawcian, yn canu grwndi, ynteu'n trydar? . . . .

Creadur prin iawn ydi'r Cyw Cors. Ychydig a wyddon ni amdano. Os byddwch yn ddigon ffodus i ddod o hyd i un, byddai'n ddefnyddiol pe gallech wneud nodiadau a thynnu llun a'u gyrru i A.E.C.C. (Arbedwch Ein Cywion Cors) Cymdeithas Lyfrau Ceredigion Gyf, Blwch Post 21, Aberystwyth SY23 1EY.